Wel, hogia bach! Tydw i ddim yn cofio pryd welis i chi'ch dau yn y llyfrgell ddwytha!

Bore da, Mistar Bebb-Jones.

Wel diar mî a howdi-dŵ! Be aflwydd sy 'di digwydd i'r llyfra 'ma?!

Flin 'da fi, Mistar Bebb-Jones. Fe gwympon nhw yn yr eira.

Do.

Wel, rargian, hogia. Gwell i ni drio'u sychu nhw'n syth bin!

Dowch efo fi!

Rhowch nhw'n fama, efo'u cloriau'n gorad!

IAWCS! Mae'r gwresogydd hwn yn ferwedig!

Wel yndi, siŵr iawn! Tydan ni ddim am adael y llyfra arno fo'n rhy hir.

Doedd gen i ddim clem fod rhywun wedi sgwennu llyfr am hanes yr ysgol!

BE?!

Dangos i mi!

O ia! 'Run yma!

2

Ddaru nhw ddim argraffu llawer o gopïau, hogia!

Ylwch... llyfr 'di hwn gafodd ei sgwennu gan y dyn ddaru sefydlu'r ysgol hon, y Doctor Rheinallt Gwynedd.

4

Jiws piws... y Rheinallt Gwynedd sy 'di rhoi ei enw i'r ysgol?!

Oeddech chi'n nabod e?

Wel oeddwn, siŵr iawn!

Dwi 'di bod yn gweithio'r tu mewn i'r muriau bendigedig yma ers i'r ysgol gael ei hadeiladu.

Mi sgwennwyd y llyfr hwn gan y Doctor Rheinallt Gwynedd, parchus gof amdano, ychydig cyn iddo ymadael â'r fuchedd hon.

Er, mi oedd o wedi mynd yn dŵ-lali wirion bost yn y misoedd cyn iddo fynd i gnocio ar byrth y Nefoedd.

Mi oedd o'n deud wrth bawb mai castell oedd yr ysgol, ac mai fo oedd y brenin.

Ylwch... mi sgwennodd o yn ei lyfr am gelc o drysor cudd...

Dyma ni'n fama... Cesglais ffortiwn sylweddol dros y blynyddoedd... acatiacatiacati... ac oherwydd nad oes gen i neb yn etifedd, gadawaf fy nghyfoeth i ddisgybl o'r ysgol hon sydd â digon yn ei ben i'w ganfod.

Ble mae'r trysor 'ma 'te?

Wel, TOES na'm trysor, siŵr iawn, hogyn!

Ac mae'r dirgelwch yn mynd yn fwy astrus fyth. Mae 'na bôs yn fama sydd i fod i'ch tywys chi at y trysor!

3

I'r sawl a lwydd i ddatrys y dyfal bôs hwn, ef a genfydd gist llawn golud disglair :
"A dramwya drwy'r wythïen a ddaw i galon yr ysgyfaint, yno yr ymgyfnertha ac, ar droad chwith, a ddisgynna i'r dudew bydew cyn gweled drachefn oleuni drudfawr."

Wel, rargian, am howdi-dŵ! Roedd yr hen goes wedi hen golli ar ei hun, siŵr iawn! Ho! Ho! Ho!

Nawr 'te blant... ydych chi gyd wedi cyfansoddi cerdd erbyn heddi?

YDYN, SYR!

Rhagorol! Beth am i ni wrando ar rai ohonyn nhw?... Elin, dere di i flaen y dosbarth i adrodd dy gerdd i ni gyd...!

Llais mawr nawr, Elin... digon o amser...

Ahem...

"Y Blodau" gan Elin Wyn...

Mae blodau yn y caeAU...

...yn garped musgrell, BRAU...

...yn dlws a HARDD...

Hei... fi'n hoffi dy gar di... neis!

Diolch!

...fel cân y BARDD...

Be ti'n neud, Llywelyn?

Sgwennu cerdd... anghofies i neud un.

...a'i lawen felys odLAU.

Y diwedd!

Diolch yn fawr.

Bendigedig, Elin! Da iawn ti!

Llywelyn? Ddoi di i'r blaen nesa i adrodd dy gerdd di?

5

6

7

9

Dyma'r newyddion gwaethaf erioed! Mi fyddwn ni i gyd ar y clwt!

Pwyllwch, da chi! Hwyrach y daw eto haul ar fryn, ac y down ni o hyd i ateb i'r broblem astrus hon!

Rhowch eich gofidiau o'r neilltu am y tro a dewch i ni fynd i lenwi'n boliau.

Jiws piws! Glywest ti 'na?

Do! Grêt, smo ti'n meddwl?! Ymhen y mis falle fyddwn ni i gyd yn cael gwyliau!

Anghofiest ti be ddwedodd y brifathrawes? Bydd y disgyblion yn cael eu rhannu ymysg ysgolion eraill.

BETH?! Bydd Elin a finne yn cael ein gwahanu?!

Paid â becso, falle ddaw hi ddim i hynny! Mae gen i syniad allai helpu — dod o hyd i drysor Rheinallt Gwynedd!

Paid â rhamantu am y trysor 'na — dyw e ddim yn bodoli! Fe glywest ti Mistar Bebb-Jones yn dweud i Rheinallt Gwynedd fynd yn dŵ-lal wirion bost!

Ond dyw hynny ddim yn golygu nad yw'r trysor yn bodoli. Does neb erioed wedi chwilio amdano — fe allwn ni o leia roi cynnig arni!

Wel, o'r gore... ond ddim nawr. Fi'n mynd i weld fy wejen!

Wela i ti wedyn!

Be ti'n ddarllen, Llywelyn?

Llyfr am hanes yr ysgol, Mam.

Ife wir? Dangos i fi pwy sgwennodd e... O! Y Doctor Rheinallt Gwynedd, prifathro cynta'r ysgol!

Ie, fi'n gwbod.

Mae e'n dweud fod 'na goridorau cudd yn seiliau'r ysgol...

...Er, sa i erioed wedi eu gweld nhw...

Ac mae e'n dweud hefyd fod 'na dwnneli di-ri o dan y safle sy'n gallu mynd â ti mâs o'r ysgol heb fod neb yn gweld...

...Gan fod yr ysgol wedi cael ei hadeiladu ar ben hen gastell o'r Oesoedd Canol...

Yn ôl pob tebyg, mae'r twnneli'n mynd yn bell bell i ffwrdd o'r ysgol ac o'r dre.

Siŵr iawn!

Ffrwyth dychymyg yw'r cyfan, os ti'n gofyn i fi!

11

Ti'n gwbod, pan oedd y Doctor Rheinallt Gwynedd yn hen, roedd e wedi mynd yn dŵ-lal...

Do, fe ddwedodd Mistar Bebb-Jones yr un peth...

Ond sut wyt Ti'n gwbod 'na? Oeddet ti'n nabod Rheinallt Gwynedd?

Wel, oeddwn siŵr iawn! Fe es i i'r un ysgol â ti!

Dyna newyddion i fi! Oes gyda ti straeon?

Rhyw dro eto, Llywelyn! Mae'n bryd i ti fynd i gysgu!

13

15

"Calon"?
"Ysgyfaint"?

Cnoc!
Cnoc!
Pwy sy 'na?

Heia!
Idwal!

Be ti'n neud?
Fi'n trio deall y pôs 'ma.

Calon... Gwythïen... Ysgyfaint.
Be mae e i gyd yn ei feddwl?

Falle fod ystyr arall i'r geirie... beth alle "gwythïen" fod?
Stryd, falle?

"A dramwya'r stryd i galon yr ysgyfaint."
Hm...

Fi'n meddwl ei fod e'n dweud fod y trysor wedi cael ei guddio tu mewn i gorff marw...

Falle fod Rheinallt Gwynedd am ddweud "Bod y ffordd i'r galon yn dod drwy'r ysgyfaint."

Falle fod y trysor tu mewn i ryw wythïen fawr sy'n dod o'r ysgyfaint ac sy'n mynd i'r galon.

Ych-a-fi, Llywelyn! Stop hi nawr!
Neu falle bod y trysor tu fewn i Miss Rhoswen, a dyna pam mae hi mor dew.

16

Edrych... fe wnes i ffeindio rhywbeth arall yn y llyfr hefyd...

Map, ar y dudalen ar ôl y pôs...

Wel, iawn... falle taw map yw e...

Beth os taw'r galon yw swyddfa Miss Rhoswen? Falle taw dyna lle mae'r map yn dechre...

Syniad goleuedig, Idwal...

Bydd yn rhaid i ni brofi'r ddamcaniaeth yn fuan...

Ond am y tro, gormod o bendroni nid yw dda...

Ac mae angen i fi ail-ystyried pob dim.

Felly, er mwyn clirio fy meddwl...

...Taflu peli eira amdani!

15

POFF!

Syniad gwych!

IIII-HA!

WAAAAAAAA! MAAAAAAAAM!

Dim ond un belen wnaeth ei bwrw hi!

Merched, ti'n gweld... smo nhw'n gwbod shwd mae joio.

17

...Felly, yn ystod y nos, mae coed yn troi carbon deuocsid yn ocsigen...

Ac mae hynny'n beth defnyddiol dros ben...

Os edrychwn ni ar ein tre ni, er enghraifft, be sy gyda ni gerllaw?

Coedwig.

Deg allan o ddeg, Anna!

Rŷn ni'n cynhyrchu lot fawr o garbon deuocsid yn y dre...

Ond diolch i'r goedwig drws nesa, mae'r carbon deuocsid yn cael ei droi nôl yn ocsigen bob dydd.

Mae'r goedwig fel petai'n ysgyfaint gwyrdd ar gyfer y dre.

DRIIIIIIIIIING!

Iawn.

Amser egwyl... allan â chi i chwarae.

Rwy 99.9% yn sicr nawr, Idwal...

16

Glywest ti Mistar Lewys yn dweud fod y goedwig fel ysgyfaint gwyrdd ar gyfer y dre?

Wel, rwy o'r farn mai dyna'r ysgyfaint roedd y Doctor Rheinallt Gwynedd yn sôn amdano yn y pôs.

Wyt ti?

Does dim dwywaith mai dyma beth oedd Rheinallt Gwynedd am ei ddweud: *"A dramwya drwy'r wythïen a ddaw i galon y goedwig"...*

Llongyfarchiadau Llywelyn! Campus!

Pwy sy fan 'na?

Oes rhywun yn sbïo arnon ni?

JIWS PIWS!

Wel da iawn ti! Rwyt ti wedi datrys rhan gynta'r pôs dirgel y gwnes i ei osod.

Ond clywch, gan fod angen y pres ar yr ysgol yn ddiymdroi, fe wnaf i eich helpu i ddatrys y gweddill...

Pwy ŷch chi, 'te?!

Y Doctor Rheinallt Gwynedd, bid siŵr!

17

Nefi wen, mae hynny'n amhosib! Buodd Rheinallt Gwynedd farw flynyddoedd maith yn ôl!

Do... ond... beth yw hwn 'te?

Roedd unwaith mwy o liw yn fy mochau – dim ond rhyw rith gwelw o'r hyn oeddwn ydw i erbyn hyn...

Ond bid a fo hynny! Gwrandewch, prin iawn yw'r amser sydd efo ni...

19

Mae'n gwbwl hanfodol eich bod yn dod i'r goedwig yn ddiymdroi!

Beth? Dod i'r goedwig yn syth bin?

Hei honco, ma' gwersi gyda ni i fynd iddyn nhw!

Mi wn, mi wn... ond gwnewch eich gorau glas, i ddod, fechgyn, heb fod neb yn eich gweld.

Mae'r cyfan tuag at achos da!

Mae 'na glwstwr o goed Nadolig yng nghanol y goedwig – wyddoch chi amdanyn nhw?

Yn iawn – rŷn ni'n mynd yno i chwarae weithiau.

Rhagorol!

Dowch i gyfarfod â mi yno cyn gynted ag y medrwch chi, ac yna mi af i â chi i'r galon.

Peidiwch â bod yn rhy hir – a pheidiwch â gadael i neb eich dal!

Smo ti'n meddwl bod rhywun yn tynnu'n coes?

Does gen i ddim clem. Wyt ti'n un sy'n credu mewn ysbrydion?

Nagw!

Ond mae'u hofn nhw arna i damed bach...

Be wnewn ni 'te? Mynd i'r goedwig?

Ie... fi rîli eisie gweld be sy 'na!

Gwych!

Aros i fi am funud...

Ble ti'n mynd?

Idwal?

?

Ble wyt ti 'di bod?

Dwyt ti ddim eisie mynd allan efo fi mwy?

Na...na... ym, ydw, ydw! Ond mae 'na un peth sy'n rhaid i fi neud yn ddi-ffael gyda Llywelyn.

Gyda fy llaw ar fy nghalon, rwy'n addo y bydda i gyda ti drwy'r amser unwaith y bydd y busnes 'ma ar ben.

Fi'n gweud y gwir, onest! Edrych, fi dal yn cario dy gar o gwmpas yn fy mhoced!

Iawn! Dere 'te, Idwal. Fe allwn ni fynd!

Dyna ble'r est ti! I mofyn y llyfr gyda'r pôs!

O'r gore 'te... ta ta tan toc!

Ie! Well i ni fynd ag e gyda ni!

IAICS! Cwata fe glou!

?

Helo Mistar Bebb-Jones.

Hylô, Idwal.

Wel mawredd mawr! Pwy sy fan 'co y tu ôl i chdi? Llywelyn Fychan, aïe?

Helo Mistar Bebb-Jones...

Pob dim yn iawn, hogia? Dach chi i weld chydig yn nerfus...

Nerfus? Ni? Na, ddim o gwbwl...

Ha! Ha!

Na, ddim o gwbwl!

Ie, twdl-ŵ. Bant â ni!

Ta ta 'te... tan toc!

Shwd ewn ni allan o'r ysgol? Mae'r gatiau i gyd ar gau!

Beth am fynd dros y cwt tai bach?

Oes gen ti syniad sut?

21

20

22

Dyma ni fan hyn, calon y goedwig...

Mae'r dre y tu cefn i ni, ac mae'r galon ar y garreg yn pwyntio i'r cyfeiriad hwn, fel y gwelwn ar y map.

Dehongliad caboledig! I ffwrdd â ni, felly!

Un tro i'r chwith, yna troi ddwywaith i'r dde...

Wedyn deirgwaith i'r chwith...

Ac yna i'r dde, ac fe ddylsen ni fod 'na.

23

Ie? Wel? Dim byd heblaw am goeden fawr.

Ble mae'r trysor?

Ewch ati i chwilota ryw ychydig...

Ydych chi'n disgwyl i mi roi popeth ar blât i chi?!

Mae hi fel bola buwch!

Mae angen i'n llygaid ddod i arfer â'r fagddu.

Edrych be sy fan 'na! Cist!

Hwrê! Ni 'di ffeindio fe!

Mae hyn yn wych!

Bydd Elin mor falch ohona i!

O... siom-dot-com...

Beth?

Rôn i'n meddwl y bydde 'na ddarnau o aur yn y gist 'ma...

Dyna siomedig.

Hidiwch befo... yr unig reswm i mi sôn bod aur yn y gist oedd er mwyn rhoi'r argraff fod y trysor yn drysor go iawn.

Nid aur yw popeth melyn, cofiwch! Arian papur yntau arian gleision, arian yw arian!

Arian papur neu beidio, does dim llawer yn y gist!

25

Ond er teneued arian papur, rhydd eto anfeidrol werth. Ac mae 'na swm go sylweddol yn fan 'na!

Ie... iawn... wel, y peth pwysig i neud nawr yw mynd â'r arian at Miss Rhoswen ac achub yr ysgol.

26

Ffarwel gyfeillion, a phob hwyl i chi!

Ffarwel!

Ym... twdls!

Rwy mor falch ein bod ni'n gallu mynd â'r trysor 'ma nôl at Miss Rhoswen.

Fe gewn ni ein trin fel arwyr!

Ond paid â sôn dim byd am ysbryd Rheinallt Gwynedd, neu fe fyddan nhw'n meddwl taw NI sy'n dŵ-lal bost!

Hei, ti'n iawn!

Fi'n addo peidio â gweud wrth neb!

Ddim hyd yn oed wrth Elin?

Pfff!

Ddim hyd yn oed wrth Elin.

Heblaw ein bod ni'n dau'n priodi, fe ddweda i wrthi wedyn!

Ac os glywith hi'r stori 'na, yna bydd hi'n siŵr o fynnu cael ysgariad!

Ie, wel... gewn ni weld, ife?

Ond yn y bôn, ddweda i ddim wrth neb...

Mae hi mor dywyll lawr fan hyn!

Yn ddigon i godi llond bol o ofn ar rywun!

Jest meddylia, falle fod rhyw bethe bach cas yn brwsho yn ein herbyn ni, neu ryw fwystfilod yn edrych arnon ni o'u hogofeydd tywyll, yn ysu am ein gwaed ni...

Jiws piws...

Cau dy geg.

Mae'r ddau ohonyn nhw wedi bod yn absennol o'u gwersi drwy'r prynhawn...

Pam na fyddech chi wedi dod â dweud wrtha i ynghynt?

Meddwl oeddwn i mai ryw ychydig yn hwyr oedden nhw, ac y byddai'r ddau yn cerdded i mewn drwy'r drws ar unrhyw funud.

Y cyfan fedra i neud yw rhoi gwybod i'w rhieni. Diar mi, hen dro bod hyn wedi digwydd heddiw!

!

?

Mae 'na ddrws fan hyn!

Bang!

Bong!

Hei! Edrych ble rŷn ni!

Wel, paid â sôn!

Llywelyn ac Idwal! Beth yw ystyr hyn?!

Mae gyda ni newyddion da o lawenydd anferth, Miss Rhoswen!

Oes!

28

Fe wnaethon ni ddatrys pôs Rheinallt Gwynedd a dod o hyd i'r trysor!

Do, y ddau ohonon ni!

Ond pam oeddech chi'n cuddio yn y cwpwrdd bach?

Doedden ni ddim yn cuddio.

Na!

Fe ddaeth dy chwaer adre oriau yn ôl. Fe ddwedodd hi fod dim golwg ohonot ti pan ganodd y gloch ola ar ddiwedd y prynhawn.

Cywir! Roedd Idwal a finne yn swyddfa'r brifathrawes.

Yn swyddfa'r brifathrawes?!

Ie! Gwranda ar hyn... mae Idwal a finne wedi ffeindio trysor y Doctor Rheinallt Gwynedd!

Ydych chi, wir?!

Ydyn! Fe ddilynon ni'r map yng nghefn y llyfr.

Mae e'n lyfr gwych...

Ac fe fydd hi'n drueni gorfod mynd ag e nôl i'r llyfrgell...

Pam na wnei di lun-gopi ohono fe?

Falle... ond fydd e ddim yr un peth...

O wel... clyw, mae gen i gwpwl o bethe sydd angen eu gorffen, a wedyn fe ddof i lan i dy stafell i gael clywed sut wnest ti ddod o hyd i'r trysor 'ma.

Iawn!

Be ti'n ddarllen?

Llyfr am hanes yr ysgol.

Y swot!

Mae'n bwrw hen wragedd a ffyn. Ti'n gwbod pam "hen wragedd a ffyn"?

Pfff!

Cau hi! Ti jest eisie dangos dy hun!

Ti a dy gleber di-ddiwedd!

Gad fi fod!

Wel, myn taten i! Nawr bo ti'n darllen llyfre am hanes yr ysgol, sdim hawl 'da fi siarad â ti?!

Wel, twll i ti 'te, ffaro!

Bore da, Miss Rhoswen.

AHA!

Bore da, Llywelyn.

Rwy'n falch dy fod ti wedi galw heibio... rôn i am dy weld di...

Nawr, dwi heb wneud cyhoeddiad swyddogol eto, ond mae'r ysgol mewn picil ariannol...

Fi'n gwbod – dyna pam aeth Idwal a fi i chwilio am y trysor.

Ti'n gwbod yn barod? Sut?

Fe glywson ni chi'n dweud wrth Mistar Lewys.

32

Wela i.

Yn gynta, Llywelyn, fe hoffwn i ddiolch i ti am yr hyn rwyt ti wedi neud i'r ysgol.

Ond, gwaetha'r modd, cystal i ti gael gwybod mai prin ein cadw ni ar dir y byw tan ddiwedd y flwyddyn bydd y trysor ddest ti o hyd iddo.

Felly, mae hynny'n golygu ...

Mae hynny'n golygu nad oes sicrwydd y bydd yr ysgol yn gallu aros ar agor y flwyddyn nesa.

Er hynny, fe allwn ni aros ar agor am weddill y flwyddyn hon, yn lle gorfod cau ymhen y mis fel oedd y bwriad.

Mae hynny'n dipyn o newyddion da, wyt ti ddim yn credu?

A diolch i ti ac Idwal am hynny.

A diolch hefyd i'r Doctor Rheinallt Gwynedd.

Mae'r hen foi yn dal i fy rhyfeddu!

Cer i dy ddosbarth nawr, Llywelyn – ond cadw hyn i gyd o dan dy het os gweli di'n dda. Dwi ddim eisie i bawb fynd o flaen gofid eto...

Iawn, Miss Rhoswen.

LLYWELYN! MAE RHYWBETH MAWR WEDI DIGWYDD!

Fi 'di colli'r car roddodd Elin i fi!

Alla i byth â'i ffeindio fe yn unman!

Be wna i?!

Wyt ti'n cofio ble welest ti fe ddwetha?

33

Nagw... y cyfan fi'n gwbod yw pan gyrhaeddes i gartre neithiwr, doedd y car ddim gen i.

Mae hi ar ben arna i ac Elin!

Gad i fi feddwl... fe wnest ti roi'r car ar ben y maen yng nganol y goedwig ddoe. Wnest ti bigo fe lan eto cyn i ni adael?

36

37

39

Ers i mi ymddeol, bûm yn ddyfal chwilio am drysor Rheinallt Gwynedd.

Ar ôl dyddiau hir o grafu pen a phwyso a mesur, canfyddais y guddfan wrth fôn y goeden y dangosais i chi ddoe.

Ond llifodd ton o siom drosof wedi i mi ddod o hyd i'r guddfan – nid oedd trysor ar gyfyl y lle!

Rhaid mai ein dysgu gydag un o'i wersi seicolegol oedd Rheinallt Gwynedd, sef "nid arian mo'r trysor, ond y ddysgeidiaeth â'ch tywysodd i'r fangre hon."

By-êth?! Sai'n deall gair chi'n gweud!

Chwi welwch, fechgyn glân, pan y'ch clywais yn trafod dirgelwch Rheinallt Gwynedd yng nghyntedd yr ysgol, penderfynais esgus mai ysbryd yr oeddwn...

...A'ch cynorthwyo i ganfod y trysor, sef y gweddill o'm cynilion i fy hun...

Pam na fyddech chi wedi rhoi'r arian yn syth i Miss Rhoswen? Byddai hynny wedi bod yn haws...

Byth, fyth y byddai Eirlys wedi bodloni i dderbyn yr arian – ei hegwyddorion cryf, welwch chi.

Ond o wneud yr hyn a wneuthum, nid oedd dim yn rwystr iddi dderbyn y rhodd.

Dyma ni drachefn yng ngalon yr ysgyfaint.

O diawch! Dyw'r car ddim 'na!

38

Fe anghofiodd Idwal ei gar fan hyn ddoe... ydych chi wedi'i weld e o gwbwl?

Mae'n flin gen i, naddo.

O! Be wnaf i? Bydd Elin yn benwan!

Mae'r trysor 'ma dal yn dipyn o benbleth. Nawr, doedd dim trysor wrth fôn y goeden pan ddaethoch chi o hyd i'r guddfan, cywir?

Cywir.

40

40

42

43

45

44

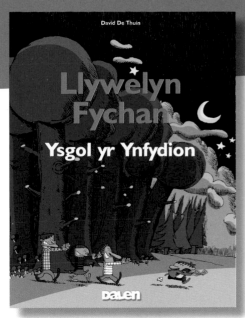

I'r sawl a lwydd i ddatrys y dyfal bôs hwn,
ef a genfydd gist llawn golud disglair:
"A dramwya drwy'r wythïen
a ddaw i galon yr ysgyfaint,
yno yr ymgyfnertha ac, ar droad
chwith, a ddisgynna i'r dudew bydew
cyn gweled drachefn oleuni drudfawr."

JIWS PIWS!

ISBN 9781906587581

DALEN
dalenllyfrau.com

00699

9 781906 587581